NORMAN BRIDWELL

Clifford®
El Gran Perro Colorado

Para Emily Elizabeth

Original Title: *Clifford the Big Red Dog*

No part of this publication may be reproduced in whole or in part, or stored in a retrieval system, or transmitted in any form or by any means, electronic, mechanical, photocopying, recording, or otherwise, without the written permission of the publisher. For more information regarding permission, write to Scholastic, Inc., Attention: Permissions Department, 557 Broadway, New York, NY 10012.

ISBN: 0-439-89821-8

First printing, May 2006

NORMAN BRIDWELL

Clifford®

El Gran Perro Colorado

Cuento e ilustraciones de **NORMAN BRIDWELL**
Traducido del inglés por Frances M. Leos

SCHOLASTIC INC.

New York Toronto London Auckland Sydney
Mexico City New Delhi Hong Kong Buenos Aires

Yo soy Emilia Isabel,

y tengo un perro.

Mi perro es muy grande y colorado.

Otros niños que conozco también tienen perros.

Algunos son perros grandes.

Y otros son colorados.

Pero el mío es el perro más grande y más
colorado de nuestra calle.

Éste es mi perro — Clifford.

Nos divertimos juntos y jugamos a muchas cosas.

Le tiro un palo, y él
me lo trae.

Aunque a veces se equivoca.

Cuando jugamos a las escondidas,
siempre le llevo ventaja.

Puedo encontrar a Clifford,
dondequiera que se esconda.

Cuando jugamos a acampar,

no necesito una tienda de campaña.

Él también puede hacer trucos.

Puede sentarse y pedir.

Sé que él no es perfecto.

A veces tiene malas costumbres.

Corre detrás de los automóviles.

Y en ocasiones atrapa alguno.

También persigue a los gatos.

Por eso ya no vamos al zoológico.

El desentierra las flores.

A Clifford le encanta morder zapatos.

No es fácil alimentar a Clifford.

Bebe y come mucho.

También fue difícil buscarle casa.

Pero es un excelente perro guardián.

Los niños traviesos ya no nos molestan.

Un día bañé a Clifford.

Lo peiné y lo llevé a una exposición canina.

Me gustaría poder decir que Clifford ganó el primer premio.
Pero no fue así.

No me importa.

Aunque hay perros de todas clases:

Pequeños, negros, blancos,

marrón, e incluso con manchas . . .

Yo me quedo con Clifford....¿No harías tú lo mismo?

La carrera artística de Norman Bridwell tomó impulso con la publicación de **Clifford, el gran perro colorado**. Treinta y siete años después y con muchos libros publicados, Norman Bridwell continua encantando a su público infantil. ¿Qué es lo que hace que Clifford sea irresistible? Norman Bridwell tiene una teoría sobre eso: "Pienso que el éxito de Clifford se debe a que no siempre es perfecto. Clifford siempre trata de hacer bien las cosas, pero a veces se equivoca." Norman Bridwell, que nació y se crió en Indiana, vive ahora en Edgartown, Massachusetts.